Mae'r llyfr hwn yn eiddo i

. . . .

Cyhoeddwyd gan Rily Publications Ltd 2019.
Rily Publications Cyf, Blwch Post 257, Caerffili CF83 9FL

Cyhoeddwyd yn wreiddiol yn Saesneg yn 2019
dan y teitl *Super Peppa* gan Ladybird Books Limited,
rhan o gwmni Penguin Random House Limited.

Addasiad gwreiddiol gan Lauren Holowaty.

Addasiad Cymraeg gan Owain Siôn.

ISBN: 978-1-84967-464-5
Cyhoeddwyd gyda chymorth ariannol Cyngor Llyfrau Cymru.

www.peppapig.com

RILY

www.rily.co.uk

Yr Anhygoel Peppa!

Roedd hi'n wythnos "Pwy ydw i?" yn yr ysgol.
"Nawr, blantos," meddai Madam Hirgorn, "Dwi am i
chi ddechrau drwy dynnu llun ohonoch chi eich hun."
"Ooo!" meddai Peppa a'i ffrindiau'n gyffrous
cyn rhuthro at y paent, y creonau a'r gliter.

Ar ôl gorffen, gosodon nhw eu lluniau ar y wal.

"Rydyn ni'n edrych yn bwysig iawn ar y wal," meddai Peppa yn falch.

"Rydych chi yn bwysig iawn," meddai Madam Hirgorn.

"Mae fy llun i'n gam!" meddai Siwsi'r Ddafad, gan chwerthin.

Yna, gofynnodd Madam Hirgorn i'r plant beth roedden nhw'n mwynhau ei wneud.

"Dwi'n hoffi bownsio," meddai Sara Sebra, gan neidio i fyny ac i lawr.

Hi!

Hi!

Hi!

"Dwi'n hoffi sefyll ar un goes," meddai Llŷr Llwynog, yn trio peidio syrthio.

"Dwi'n hoffi chwerthin," meddai Cadi Cath, gan rowlio chwerthin ar y llawr.

WAÛÛÛÛÛ

"DWI'N HOFFI UDO'N
SWNLLYD IAWN!"
udodd Brenda Blaidd.

"Hyfryd," meddai Madam Hirgorn.
"Rydych chi i gyd yn hoffi
gwneud pethau gwahanol."

"Nawr, meddyliwch beth rydych chi'n gallu ei wneud yn dda," meddai Madam Hirgorn, "a beth fyddech chi'n hoffi bod pan fyddwch chi wedi tyfu."

"Dwi'n dda am fod yn glyfar,"
meddai Elin Eliffant.
"Dwi am fod yn astronot
ac yn anthropolegydd."

"Dwi'n dda am fod yn ddewr," meddai Carwyn y Ci.
"Dwi am fod yn bencampwr sglefrfyrddio. Wwwwsh!"

"Dwi'n dda am fwyta moron!" gwaeddodd Beca Bwni.
"Dwi am fod, ym ... yn foronen?"

"Yr wythnos nesaf, dwi am i chi wisgo fel beth hoffech chi fod pan fyddwch chi'n fawr," meddai Madam Hirgorn.

Hi!

Cododd Peppa ei llaw. "Ond dydw i ddim yn gwybod beth hoffwn i fod." Ochneidiodd, "Sut ydw i i fod i wybod beth i'w wisgo?"

"Paid â phoeni, Peppa," cysurodd Madam Hirgorn.
"Fe gei di wisgo fel unrhyw beth rwyt ti'n dymuno.
Hyd yn oed moronen." Chwarddodd pawb.

ABC
a b c ch d dd e f ff g
ng h i j l ll m n o p
ph r rh s t th u w y

12345

Hi!
Hi!
Hi!
Hi!
Hi!

"Ond sut galla i ddewis?" gofynnodd Peppa.
"Pam na wnei di holi ambell oedolyn am y gwaith
maen nhw'n ei wneud?" awgrymodd Madam Hirgorn.
"Gallan nhw dy helpu di i ddewis."

Yna, canodd y gloch ac roedd hi'n
amser mynd adre.
"Hwyl fawr, bawb," meddai Madam
Hirgorn. "Wela i chi wythnos nesaf."
"Hwyl fawr, Madam Hirgorn,"
gwaeddodd pawb.

Drannoeth, gofynnodd Peppa i
Mami Mochyn am ei gwaith.
"Dwi'n ysgrifennu straeon ar
y cyfrifiadur," eglurodd Mami Mochyn.
"Pan fydda i'n cael syniad, rydw i'n
gwneud hyn ..."
Ysgrifennodd Mami Mochyn
stori ardderchog a'i darllen
hi i Peppa.

Tap!
Tap!
Tap!

"Www, Mami!
Dwi eisiau bod yn awdur fel chi," meddai Peppa.
"Rydych chi'n ysgrifennu straeon anhygoel!"

Amser
maith
yn ôl ...

"Galli di fod yn awdur,
Peppa," meddai Mami
Mochyn. "Beth
am i ti roi cynnig
ar ysgrifennu
stori nawr?"

"Ond beth os na fedra i feddwl am stori?" gofynnodd Peppa.

"Rhaid i ti gredu dy fod ti'n gallu," atebodd Mami Mochyn.

"Ond beth os na fydd pobl yn ei hoffi?" gofynnodd Peppa.

"Rhaid i ti gredu y byddan nhw," atebodd Mami Mochyn.

"O'r gorau," meddai Peppa, ac adroddodd hi stori hyfryd
am dywysoges, broga a thywysog bach.
"Dyna stori anhygoel!" meddai Mami Mochyn. "Ti'n gweld, Peppa,
mae credu y galli di wneud rhywbeth yn dy helpu di i lwyddo."

Ar ôl cinio, aeth Peppa gyda Dadi Mochyn i gystadleuaeth neidio-mewn-pyllau-mwdlyd. "Gobeithio yr enillwch chi, Dadi," sibrydodd Peppa. "Gobeithio," atebodd Dadi Mochyn. "Rydw i yn arbenigwr."

Neidiodd Dadi Mochyn yn uchel i'r awyr a glanio, gan wneud sblash hollol berffaith.

"Www, Dadi! Dwi eisiau ennill cystadleuaeth neidio,
yn union fel chi," gwaeddodd Peppa.
"Rydych chi'n neidiwr-pyllau-mwdlyd anhygoel."

"Beth am i ti roi cynnig ar neidio nawr, Peppa?"
gofynnodd Dadi Mochyn.
"Ond dydw i ddim yn arbenigwr fel chi,"
atebodd Peppa.
"Fe alli di fod," meddai Dadi Mochyn.
"Mae angen ymarfer."
Rhoddodd Dadi Mochyn
help i Peppa neidio.

Yna neidiodd Peppa'n uchel i'r awyr a gwneud
SBLASH mawr wrth lanio. Roedd y dorf yn fwd
i gyd ac fe waeddon nhw "Hwrê, Peppa!" yn uchel.
"Roedd hwnna'n deimlad anhygoel! Diolch, Dadi,"
meddai Peppa.

Nesaf, aeth Peppa i weld Miss Cwningen.
"Rwy'n gobeithio dy fod ti'n barod am ddiwrnod
prysur, Peppa!" meddai hi.
Aeth Peppa gyda Miss Cwningen wrth iddi wibio
o un dasg i'r llall.

O'r archfarchnad ...

i'r orsaf dân ...

i'r amgueddfa ...

ac yna i'r theatr.

Ar ôl hynny, aeth
Miss Cwningen ag
ymwelwyr am dro yn
yr hofrenydd ...

a gwerthu hufen iâ
blasus i bawb.

"Www, Miss Cwningen! Dwi eisiau bod yn union fel chi a chael gwneud llawer o bethau," meddai Peppa wrth i Miss Cwningen yrru'r trên adre. "Rydych chi'n anhygoel am wneud POPETH!"

"Os gwnei di weithio'n galed, galli di fod yn dda am wneud unrhyw beth," meddai Miss Cwningen.

"Ydw i'n gweithio'n galed?" gofynnodd Peppa.

"Wyt," atebodd Miss Cwningen. "Rwyt ti wedi gweithio'n galed drwy'r prynhawn. Rwyt ti'n anhygoel am wneud popeth, yn union fel fi!"

Ond pan gyrhaeddodd hi adre, roedd Peppa mewn penbleth. Doedd hi wir ddim yn gwybod beth i'w wisgo i fynd i'r ysgol.

"Mae Mami, Dadi a Miss Cwningen yn anhygoel am wneud popeth, George. A dwi eisiau bod yn union fel nhw. Ond sut galla i wisgo fel 'popeth'?"

"Tat-en An-hyyyg-oel!" gwaeddodd
George, gan daflu ei degan i'r awyr.
"Rwyt ti'n iawn, George!" bloeddiodd Peppa.
Roedd hi wedi cael syniad penigamp.
Rhedodd ar ei hunion at ei chist gwisgoedd ...

Y diwrnod canlynol, roedd y plant i gyd yn eu gwisgoedd.

"Rwy'n gweld dy fod ti wedi penderfynu bod yn archarwr,
Peppa," meddai Madam Hirgorn.

"Nid archarwr ydw i," atebodd Peppa.

"Peppa ydw i, ac rydw i'n ...
ANHYGOEL!

Dywedodd Mami, Dadi a Miss Cwningen, os ydw i'n
barod i gredu ynof fi fy hun, ymarfer a gweithio'n
galed, galla i fod yn anhygoel am wneud unrhyw
beth. Ac mi ydw i, felly Yr Anhygoel Peppa ydw i!"

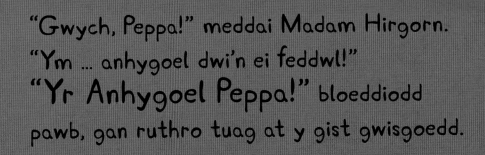

"Gwych, Peppa!" meddai Madam Hirgorn.
"Ym ... anhygoel dwi'n ei feddwl!"
"Yr Anhygoel Peppa!" bloeddiodd
pawb, gan ruthro tuag at y gist gwisgoedd.

Pan ddaethon nhw yn ôl, roedd gan bob un ohonyn nhw wisg fel Peppa!
Roedd Mami Mochyn, Dadi Mochyn a Miss Cwningen wedi helpu
Peppa i fod yn anhygoel.

A nawr, roedd Peppa wedi helpu pawb arall
i fod yn anhygoel hefyd.
"Yr Anhygoel Peppa. Mae pob un yn anhygoel!"
cyhoeddodd Madam Hirgorn, gan chwifio ei
chlogyn o'i chwmpas.

"Rydyn ni i gyd yn anhygoel!"